#1 ライダー

D1484547

ハイカラシティのみんなー!!

……、今日は待ちに待った

「ナワバリバトル」ナンバーワンを決める、

コロコロカップだよー!!

メガネくん

ニットキャップちゃん

ヘッドホンちゃん

寝ぼうしちゃったー。

バーーッ

服着て来いって言ってんでしょ！

どおりでスースーすると思った!!

遅れてゴメン！

ついに大会だね!!

ゴーグルくん

フツーに来いよ、ハズかしい！

えっ？

あっ！

ブルーチームだ!!

あれがウワサの!?

スゲェ!!

わたしたち有名なの!?

ボクたちの日びの練習は、ムダじゃなかったんだ!!

アホで有名なブルーチームだ！

ウワサどおりアホだな！

スゲェアホだ！

メガネくんチャックあいてるよー

あんたはズボンがおちてる

ウェーい

フフン

なんだ？

！

アイツの名前はライダー。

「ウデマエ」S＋……。

最高クラスだ！

S＋!?

人と組むのが嫌いらしいが、大会の為にチームを組んだのか…！

勝てる相手じゃない…。

ウェーィ！

聞けー!!

S＋だろーが負けねーぞ!!

フン。

ほら見ろ！相手にされてないぞ！

ゴゴゴ

ブブブ

1回戦

ブルーチーム VS イエローグリーンチーム

ちーん

終わった

…………。

さっきのヤツらか。

…つぶす。

いつも通り
みんなでがんばれば
だいじょうぶだよ!

ヘンな
かおー!!

おまえのせい
だろーが!!

あはは

…うん。

そう
だな!

フン、

がんばる
ぞー!

ぬるい
仲良しチーム
だな。

わかってる
だろーな。

おまえらは、
オレの言う通りに
だけ動け。

なんと全員（ぜんいん）による
スペシャルウェポンが
トルネード!!

ゴーグル!!

死（し）んだな。

くそっ……!!

仲間なんてぬるいこと言ってるからだ。

チームワークなんていらねぇ。

そんなものは足をひっぱるヤツが出るだけだ。

バトルは強えヤツが1人いれば勝てるんだよ。

バイバーイ！

ド！

パン

!!

ライダー選手、ヒットー！！

なんとゴーグル選手、三連トルネードをよけていたー！！

ゴーグル！！

なにやってんの？

おまえなら生きてるって思ったぞ！

ヨコにへばりついてたー！

おちるー

ラッ…、ライダーがやられた…！！

どう動けばいいんだ？

反撃開始だー！！

塗り返せー！！

ドドドドドド

きゃーっ！！

使えねぇヤツらだ！！

ブルーチームすごい勢いで塗り返していくー！！

おまえらはいらねぇ！！

オレ一人でやる！！

にゃっ!!

ブルーチームの勝利――!!

ワ

アッ

バッ

イヤッター!!

負けた…。

・・・・・・・・・

フンまあまあだな!

みんなもスッゲーナイスだったよ!!

ゴーグルくん、ナイスー!!

ナイスー

おい。

！

32

なんで、おまえらは声をかけあわずに連けいできた。

そんなの、

いつもいっしょに練習してるからわかるよ!

…チッ。

即席チームじゃムリってことか…。

次も負けるんじゃねーぞ!

ああっ!

ウデマエS＋のオレに勝ったんだ。

優勝しねーとイカ足ひきちぎる！

まかせろ——！

ヒェェェェェェ!!

にゃー

よーし！

みんなで2回戦もがんばるぞ!!

マンホールのフタが開いてたー!!

ギャーッ

アホだー！

どんだけ落ちるんだよ!!

34

あわわ…

ブルーチーム
全滅だー!!

イ…、イカ足、
ひきちぎら
れる……。

あはは

笑いごと
じゃない!!

ライダーくん、
すごく怒って
るね……。

ああっ!

次も
負けるんじゃ
ねーぞ!

ゴメン、
負けちゃっ
たー。

あっは!

!!

オレに勝って
おいて2回戦
であっさり負け
やがって……!!

この辺にして
おいてやる。

ありがとー
みんなー、
ゆるして
くれるって─

ボッコ
ボコだ!!

本当に
スミマセン!!

ライダー、今日バトル見に行くんだ！

へー

どのチーム？

ア…、アーミーって、

S4（エスフォー）の1人（ひとり）の!?

アーミーのオレンジチームだ。

………。

え？ユーフォー？

S4（エスフォー）だよ!!

………!?

あ

エ…、S4（エスフォー）!!?

ガヤわっ

S＋の中でも
スゴウデの
四天王——、

それが
S4！

えっ
ライダー
よりも!?

ああ。

ゴクリ…

強さは
オレよりも
上だ。

Splatoon ①

すぐに
ぬいてやる
けどな……！

セイイイ
S＋の世界
こわい……!!

シーマイナス
C−

シー
C

シープラス
C＋

ビーマイナス
B−

ボクたちも
これから
バトルだろ！

あ、
そうだった
。

オレも
見に
行く！

ちょっと
待てー!!

って、その
アーミーの
オレンジチームと
あたったりして!。

ない
ない
ー。

あっはっは
ー

ウデマエは
まだまだ
だけど、
ボクたちも
がんばろう!!

お
ー
！

運の悪い
ヤツらだ。

きさまらが、
ライダーを
たおしたブルー
チームか。

見る
からに
弱そう
だが。

カチンッ

ムッ。

あっ？

よく
言われる！

怒ろうよ、
ソコは！

そうだけど

よゆうだと
思うが、手は
ぬかないぞ。

勝利こそ
すべて!!

ワガハイ
は負ける
のが
嫌いだ。

勝たなければ、
バトルをする
意味が
ないからな！

えっ？

バトルは
楽しいから
やるんでしょ？

なに？

勝負だ！ユーフォーの
アミ！

S4の
アーミ・・・
アホー

ハイハイいきますよー シオカラーズがいっきょうします

「ナワバリバトル」は、

ブキを使って相手チームより多く地面を塗ったチームが勝ち!

オレンジチーム

「ヒラメが丘団地」は、最初に高台をとるといいよ!

団地だからクラゲくんも住んでるよ!

おーい

ブルーチーム

ブルーチーム VS オレンジチーム

ワクワクするー!!

勝ちに行くぞ!!

レディー!!

ゴ——!!

ドドドドドドドドド

ドドドド

イキナリこわいこと言うなよ!!

キケンなニオイがする…・!

！

よし！
練習どおり分かれよう！

ドドドドドドドドド

高台をめざせ!!

オッケー！

ブルーチーム、順調に塗り進めていく―!!

ドドドドドドドドド

どうだ！

これは、高台までのいくつかのルートを、4人で分かれてかくれながら行く作戦だ―！

ボクたちもいつも練習しているんだ！

ダメだな。

……

Splatoon ①

アーミーは、バトルしたデータを集め、それをマニュアル化し、相手の動きを読んで戦う。

そうだ！

それが相手をにがさない戦術…、

イカアミマニュアル!!

イカならどうだ！

そうか！

これなら見つかりづらいぞ！

まだだ。

全部、お見通しだ！

ブ…、ブルーチーム、

再び全員ヒットーー!!

その間、ステージはどんどん塗られていく──!!

ブルーチーム大ピンチー!!

ハッ

復活したらもう一度はれ。

やっぱりにおう……!

……。

くくく

わかったか、

こんなの…にげられないじゃないか…!!

もうスーパーセンサーが……!

!

ヴォン

マニュアルこそ勝利のすべて!

われわれに見ぬけぬ行動などない!!

カ・・・、カレーだとおおおー!!?

キケンなほどいいニオイがしてたんだよねー。

アホーッ!!
早くにげろ!!

やられちゃうよ!

いいなー

カレー!?
マニュアルにカレーなどないぞ・・・・・・。

どういう行動なんだ・・・・・・!?

予想外のことに弱いタイプだ!!

お・・・、おい・・・、カレーだ!

カレーのデータをさがすんだ!!

全員かいーーー!!

グダグダグダー

ちょうど、センサーもきれたよ!

よーし、こうなりゃヤケだ!!

!

にゃっ!!

（ブルーチームの）勝利!!

ワッ

アッ

勝ったー!!

バトルは、
なにがあるか
わからないから
オモシロいんじゃん！

負けた…、
ワガハイが…。

マニュアルで
わからぬ
ことがある
とは…。

ちがうよ！

60

わからないから
オモシロイか…。

なるほど……。

負けて学ぶとはな
……………。

カレー食いながら言うな!!

オッ・カ・レー!!

ド・ッ

アホー

カレーには、パイナップルを入れるとおいしいよ!!

次からは、バトルのデータにカレーを入れておく!

全員、メモだ!

ふつうバトル中に食べないから!!

料理のデータじゃねーか!!

みんなで食べようよ!

ウェーイ

フン。

あーあ、アーミー負けてんじゃん。

!!

#3 グリーン

オーッ！

ブルーチーム

グリーンチーム

このままいけば勝てるぞ！！

うぅっ…！！

ズリィーッ

わーっ！

よーし高台から一気に攻めるぞー！

ただのアホチームだと思ったのに…！

おされてる！

ゴーグル、だいじょうぶか！？

最近S＋とばかりあたって気づかなかったけど、

ボクたち、強くなってる！？

だいじょうぶ
だいじょうぶ！

しっぱいしちゃった——

だいじょうぶじゃ
ない——————！！

本当か？

いいよ、いける
いける——。

ドドドド

マジか——

あれ!?

アオがっ

タイム————!!

えい！

こっちが気になるわ——しし！！

え？

やぁ！

ふっ、はっ、ほっ。

プリプリプリ

着がえてくるんで、ちょっとタンマ!!

またねー

いいぜ。

やっぱりアホチームだな

ハイカラシティ

着いた。

ブイヤベース

ギアや
ブキといえば
ここ！

ブイヤベースには
いろいろな
お店があるよ。

シオカラーズ
でーす

ブキや

クツや

フクや

アタマや

「ギア」は、
「アタマ」「フク」
「クツ」の３種類の
そうびのことだよ！

行ってくるねー!!

いいから早く入って!!

買いものひさしぶりだなー!!

まったく…

ゴーグルくん、どんなフク選ぶかな?

スポーツ系とか?

すごくダサくなってそうだなー。

帰ってきた。

あ。

おーい、みんなー。

強そうに
なったよー。

ガチャ
ガチャ

ガゴッ

フクじゃ
ねえ!!

強そうだ

コーホー

コーホー

だれだー!!

ゴーグル
だってー。

わからない?

ゴーグルくんじゃ
なくなってるよ!

わからないわ!

やっぱりこれがいいや!
気に入ってるし

パンツが違うよ!

わかるか!

結局同じかい!

破け以外もボロボロで、ギアパワー落ちてタ。

動きやすいハズ。

バババッ

本当だー!!

お客さん、練習シテるとても。

えっ?

フク見ればワカルです。

チームのみんなでがんばってるよ!

うん!

よーし、バトルだー!

また来るマス

!

レディー…、

どんどん塗っていこう!!

ゴー!

おー 新しいギア、動きやすい!

中央の塗り合いだー!!

高台から攻めろー!!

よーし、今度こそ!!

いっくよー!!

成功——!!

わーっ!

とりゃ———

ナイス、ゴーグル!

この——!!

バシャッ

ぶぶっ。

わ——!!

ポロッ

えっ？

ヒット——!!

洗濯機にやられた！

スクリュースロッシャー!!

ルバ ブキだ

よっしゃ——

しまった、置きボムか…!?

ダ!

ヌッ

ハハハハ！

高台はもらった——！

スキあり！！

ニットキャップちゃん！！

うぇーーい

ナイス！！

ゴーグル、やるぞ！

ブルーチーム、おしてるぞ！！

このままいけーっ！！

おっけー！

ゲゲッ！！

スーパーショットにあたったハズじゃあ…。

よけたのか!?

それなら!

!!

もう1回だー!!

そんなんじゃ、オ・レ・ら・に勝(か)てないよ!

勝(か)ったよな?

?

うん。

?

?

あれ?

どうしたの?

…

アイツ、0(ゼロ)ダウンだ!ヒットされてない!

いつもやられまくってるのに?

さっきの動(うご)きもスゴすぎだし…。

えっ

みんなー!!

ウィン

スッ

!?

そいつはニセモノだー！！

オレのギアかえせ——

えっ？

どういうこと！？

あっ、いたいたー。

バレちゃったかー！

じゃ…、じゃあ、

ダレ！？

マジで潜入してるよー!!

ウケるー

おーっ。

? ? ?

さて と 仲間も来たことだし…、

え っ…?

ぇぇぇっ!?

本気出そうかな♪

#4 アロハ

リゾートだー!!

うぇーーい

はしゃいでる
ねー!

まったく
バトルで
来たんだぞ!

わーーー

プール
だーー!!

ちょっ…、
待てーー!!

え?

グイッ

ザシャーン

マヒマヒリゾート&スパ

全員水没。

ブクブクブク

こんなことしてる場合じゃないでしょ！アイツとやるんだぞ！

おっブルーチーム！

※インクリングは泳げません。

待ってたよ！

Yo!

S4（エスフォー）アロハ!!

バトル楽しみだね♪

♪♪

この前は本気出してなかったケド、

おー

今日はバンバン攻撃するよ♪

本当はパーリー※1したい気分。レベチ※2だしメンディー※3だケド♪

正直すぎかよ！

チャラい！！

じゅ、じゅもん？

ウケるー

※1 パーティー　※2 レベルが違う　※3 めんどくさい

3分後。

ツ━━━ワ

めっちゃケンカ
してるー!?

しし なんで？

アイスの
コーン派と
カップ派で
ケンカに
なったってー。

ブゴゴゴ

コーンでしょ

カップだろ

そんな
ことで!?

これから
バトルなのに
……。

不安……。

あーあ、こりゃ楽勝だね。

オレらのほうが 仲いいん じゃね？

あのウデマエで ライダーや アーミーに 勝つなんて、 イケてる チームだと 思ったケド、

どうかな——♪

実況のシオカラーズです！

このステージは、 なんと後半 形が変わるよ～。

足場を うまく使って 攻め込もう！

ドドドドド

うおおおお！

ゴーグルくん、メガネくん！

ブルーチーム、すごい勢いだー！！

バシャバシャ

すごい勢いで撃ち合っているー！！

くらえー！！

ケンカか？

ルパ

うおおおお

なにやってるのー？！

バカだー

ちゃんとインク塗って！

ドドドドド

塗ってる！！

バカ

塗ってない！！

プッ、ダッサ。

あっちゃ

オレ、ダサいの嫌いなんだよね――。

くっ……！

ねっ……、ねらいづらい！

ヒュウ♪

ヒョイ

おしいっ♪

！

ヒットーーー!!

足場の少ないところをねらわれたー!!

おーっ!!

ゴーグルくん、メガネくん!

ゴ''''''

ピンクチーム 圧倒的強さ ——!!

ブルーチーム 大ピンチだ ——!!

……くっ。

ケンカなんてしてるからだって。

112

つーか、いつまでケンカしてるの!?

ダメダメだ

わ──!!

ギャー ギャー

アロハ、落ちたケドー!!

ドボーン

ハミガキ粉とワサビをまちがえるアホのくせに！

ドドドド

ナスいっつも残すくせに！

あ、オナカすいた！

ドドド

ポポポロン ポポポロン

なんともおバカな悪口だ──!!

メガネくんのメガネメガネメガネ！

ゴーグルのアホアホアホ！

！

おっと、ここで水面が下がって、

ここからは接近戦！

ステージの形が変わったー!!

時間も残り半分だー！

やっべ、ダッセー。

気をとり直して、

「ミラーボールダンス」だ♪

ネクタイ！

マヌケ

ー！

116

しかも割りと速いぞー！

めっちゃ塗れてますね—。

うおおおおぉ

マジかよ！

スィ スィ

ダッセェ———。

ウケる——

笑ってないで止めるぞ！

はーっ

なにマジになってんだよ。

なんかタルいしー。

アロハあとヨロシク！

はぁー！？

なにダセーこと言っちゃってるの？

は？

メンディーだな

「ミラーボールダンス」の名前のほうがダセーよ。

そういうこと言うんだ。

おっとー、こっちもケンカだー！！

！！ ツ

メガネくんはいつもちゃんと練習してる！

ゴーグルはいつも明るい！

は？

わっ

チームのことも考えてるし！

たまにいいこと言うし！

また⁉

ほめ合ってる？

ほんっと‼

ガ

キィ

メガネくんはたよれるリーダーだよ!!

ゴーグルがチームにいると楽しいよ!!

はぁああ!?わけわかんねぇー!!

Wスーパーショット!!

メガネくんも
スーパーショットって
マジかよ…。

つーか…。

おまえ
は──

そうだった？

アロハのチームも
仲(なか)いいじゃん！

ハァー…

ケンカして息(いき)ピッタリって、仲良(なか)すぎでしょ、キミら。

…ハハッ。

ゴメ――

ワリー

……。

もうちょっとマジメにやるね。

……。

ゴメン
ゴメン
まったく！

アロハ。

オレらも まだまだだね！

仲の良さは比べるものじゃなかったか。

じゃあバトルも終わったし…、

みんなでパーリーしよっか♪

パー…

うぇーい!!

うげげっ！

LIVE

なんか
パーティーとか
しちゃってます
けど〜!

さっきまで
戦っていた
ヤツと?

ピンクチーム
最悪——!!

アロハのヤツも
嫌いだけど、

われわれシアンチームの
力でリア充を
ほろぼしましょう!

ブルーチームも
嫌いだな〜〜。
ニコニコしやがって

LIVE

な…、
なんと…。

コイツ
なんて、

ずっと笑って
るよ〜〜。
ヤダヤダ

S4マスク選手、ひとふりもせずに勝利――!!

笑っていられるのも今のうちだぞ～。

デュフフフフフフフ

ブルーチーム～!

フヒッ…。

ここは「ハイカラシティ」!

ここで暮らしているのは…!?

かれら「インクリング」

イカだ!!

だけどフツーのイカじゃあないぞ…!!

なんと!

ヒトに変身できるのだ!!

ジャーン

って、なんでハダカなの!?

着てくるの忘れた——!!

バキーン

バカやってないで行くよ!

うん! 今日も楽しみだな〜!

そんなかれらがハマっているのが…、

4対の、

青チーム

「ナワバリ
バトル」だ!!

黄チーム

で、
ナワバリ
バトルって
なにすれば
いいんだっけ?

えええッ!?

わかって
なかったん
かい!

バカだー

134

ブキを使って相手チームより、多くインクを塗ったら勝ち！

ステージの地面や壁を自分のチームの色でうめつくせばいいんだ！

黄チームはここからスタート！

青チームはここからスタート！

まあ、勝つのは黄チームだけどな。

青チームがインクリング最強だ！

イ・ク・リング最強…？

オレたちたべられちゃうの？

ザクザク

インクリングだ！

バトル始めるよ！

レディー、

ゴー!!

みんな、インクを塗りまくるぞ!!

ブキだよ!!

なに筆で遊んでるんだよ!

これでスピードアップだ!!

スイ〜〜

一気に進めー!!

イカの姿になると
カベを登ったり、アミを
通りぬけられるゾ!

イカとったどー!

ジャマすんなー!!

インクがないところは
進めないゾ!

アレッ進めないっ!?

青チームはやっぱバカだな。

黄チーム!!

もうこんなところまで来てたのか!?

138

Splatoon ①

もうほとんどの場所は黄色に塗りつぶしたぜ！

オレたちの勝ちだな!!

くっ…!

まだ勝負はわからないじゃん！

ゴーグルの言う通りだ！

敵を撃ってジャマをするぞ！

おー!!

ヘックショイ！

ヒ

味方を撃つな!!

メガネくん、ゴメン!!

アホー!!

ヒュン

実際のゲームでは味方にはあたらないゾ。

青チーム スタート地点

ギャー!!

カチッ

だが！

すぐに復活
できる!!

そして、

スーパージャンプ!!

やられても
スタート地点から
また始められるゾ!

これで味方の
ところに行ける!

みんな、
待ってろ!!

オオオォォ

オオォォォォ

今、
このメガネが
助けに行くぞ!!

140

オオオオオオ

行きすぎ
だー!!

オオオオ

よし、全部
黄色に
してやれ!

ド
ド
ド

ド
ド
ド

!!

ちょっ…、

キラーン

助けて—!!

ん!?
なんか
聞こえなかった?

ド
ド
ド
ド

ぜぇ

プシャアアア

スプラッシュ
シールド!!

そうは
させない!

キャーーー!!

サブウェポン!

ボポポン

アタシも―。

サブ
ウェポン!

ヘッドホン
ちゃん、
ナイス!

う゛

逆転（ぎゃくてん）
するよ!!

142

ゴーグルくん

ブキ　…スプラシューターコラボ
アタマ…パイロットゴーグル
フク　…アーマージャケットレプリカ
クツ　…ヒーローキックスレプリカ

Topics

・寝坊するのは寝ぞうが悪すぎて部屋を
　出てしまい、目覚まし時計の音がよく
　聞こえないかららしい。
・オヤツのウメボシはおばあちゃんの
　手作り。

ブルーチーム

ニットキャップ ちゃん

ヘッドホン ちゃん

メガネくん

ブキ　…バケットスロッシャー
アタマ…ボンボンニット
フク　…ジップアップグリーン
クツ　…ウミウシパープル

ブキ　…スクイックリンα
アタマ…スタジオヘッドホン
フク　…バスケジャージアウェイ
クツ　…ヌバックブーツレッド

ブキ　…ホクサイ（ほか）
アタマ…クロブチレトロ
フク　…タイシャツ
クツ　…アケビコンフォート

Topics

・練習するときはお弁当持参で集合。
　（ゴーグルくんはおにぎりが好き。だが忘れることも多い。）

イエローグリーンチーム

ライダー

- ブキ　…ダイナモローラーテスラ
- アタマ…ダテコンタクト
- フク　…イカライダーBLACK（ブラック）
- クツ　…タコゾネスブーツ

Topics

- ・トレーニングメニューは自分（じぶん）で考（かんが）えて
  しっかり練習（れんしゅう）している。
- ・ブキの手入（てい）れもちゃんとしているようだ。

スゲちゃん

ブレザー ちゃん

ナイトビジョン くん

ブキ　…バレルスピナー
アタマ…スゲ
フク　…ボーダーネイビー
クツ　…スリッポンブルー

ブキ　…52ガロンデコ
アタマ…イカパッチン
フク　…スクールブレザー
クツ　…スクールローファー

ブキ　…ジェットスイーパー
アタマ…ナイトビジョン
フク　…ジップアップカモ
クツ　…トレッキングプロ

Topics

・大会のために一応フレンド登録はしていたようだ。

アーミー

ブキ　…N-ZAP85 [エヌ ザップ]
アタマ…モンゴウベレー
フク　…F-190 [エフ]
クツ　…ロッキンチェリー

Topics

・顔[かお]のペイントは自分[じぶん]でかいている。
・割[わ]りとおぼっちゃまらしい。
・S4[エスフォー]の1人[ひとり]。

オレンジチーム

🦑 ぜんしゅめイかん

セーラーW
ちゃん（ホワイト）

エフテン
ちゃん

セーラーB
くん（ブルー）

ブキ	…デュアルスイーパー
アタマ	…モンゴウベレー
フク	…イカセーラーホワイト
クツ	…ジョーズモカシン

ブキ	…ラピッドブラスター
アタマ	…モンゴウベレー
フク	…F-010（エフ）
クツ	…ロッキンホワイト

ブキ	…スプラスコープ
アタマ	…モンゴウベレー
フク	…イカセーラーブルー
クツ	…シャークモカシン

Topics

・練習やバトルの後には全員でそうじしていく。
・集合時間にはキッチリ集まる。

ピンクチーム
アロハ

ブキ　….52ガロン
アタマ…キャディサンバイザー
フク　…おどるイカアロハ
クツ　…クレイジーアローズ

Topics

・インクリングなので泳げないが、
　サーフィンは出来るらしい。
・パーティー友達のアドレスを
　たくさん知っている。
・S4の1人。

ムギちゃん

オクタグラスちゃん

ダイバーくん

ブキ　…スプラローラーコラボ	ブキ　…プライムシューターベリー	ブキ　…H3リールガン
アタマ…イカンカン	アタマ…オクタグラス	アタマ…ダイバーゴーグル
フク　…ロゴマシマシアロハ	フク　…ロゴマシマシアロハ	フク　…ロゴマシマシアロハ
クツ　…ラバーソールチェリー	クツ　…ベリベリレッド	クツ　…シーホースホワイト

Topics

・パーティーやイベントでの自分たちの写真をインターネットに
よくアップしている。

サファリ
ハットくん

バックワードくん

- ブキ …スクリュースロッシャー
- アタマ…バックワードキャップ
- フク …スタジャンロゴマシ
- クツ …キャンバスHiモロヘイヤ

Topics

・ブキを洗濯機と言われるのはイヤだが、本当に洗濯出来るか一度試してみたらしい。服がインクまみれになったとか。

- ブキ …52ガロン
- アタマ…サファリハット
- フク …マウンテンオリーブ
- クツ …ベリベリホワイト

ビーニーちゃん

- ブキ …プロモデラーMG
- アタマ…ショートビーニー
- フク …ベクトルパターングレー
- クツ …シーホースHiレッド

スパイカちゃん

- ブキ …パブロ・ヒュー
- アタマ…ヘッドバンドホワイト
- フク …かくれパイレーツ
- クツ …ユデスパイカ

Topics

・ブルーチーム対戦後はバトルの前に仲間が本物か確かめるようになった。

グリーンチーム

フェイスゴーグルくん

- ブキ …ホットブラスター
- アタマ …フェイスゴーグル
- フク …カモガサネ
  （なぜかTシャツが黒）
- クツ …モトクロスブーツ

Topics

・家の手伝いをよくする。

タコマスク
くん

- ブキ …スプラシューター
- アタマ…タコマスク
- フク …カレッジスウェットグレー
- クツ …スリッポンブルー

オリーブちゃん

- ブキ ….52ガロン
- アタマ…ダテコンタクト
- フク …マウンテンオリーブ
- クツ …トレッキングプロ

ヤコちゃん

- ブキ …ワカバシューター
- アタマ…ヤコメッシュ（なぜか黒）
- フク …イカノメTブラック
- クツ …オレンジアローズ

Topics

・ブルーチームとはよく練習試合をしている。
・タコマスクくんはS4のマスクとは別のイカ。

イエローチーム

ゴーグルくん

ブキ	…スプラシューター
	（なぜかスーパーショットが使える）
アタマ	…パイロットゴーグル
フク	…アイロニックレイヤード
クツ	…シーホースHiパープル

ヘッドホンちゃん

ブキ	…スプラチャージャー
	（なぜかスプラッシュシールドが使える）
アタマ	…スタジオヘッドホン
フク	…イカホワイト
クツ	…ピンクビーンズ

ニットキャップちゃん

ブキ	…スプラローラー
	（なぜかスプラッシュボムが使える）
アタマ	…ボンボンニット
フク	…ジップアップグリーン
クツ	…キャンバスHiマッシュルーム

メガネくん

ブキ	…パブロ
アタマ	…クロブチレトロ
フク	…ヴィンテージチェック
クツ	…ラバーソールホワイト

スプラトゥーン

Splatoon 1

てんとう虫コミックススペシャル

ひのでや参吉

10月29日、長野県に生まれる。
2003年、「魔法坊主三休」(増刊少年ガンガンパワード〈スクウェア・エニックス〉)でデビュー。
代表作「全員集合ギャグって!!ロックマン!」(ファミ通DS＋Wii〈KADOKAWA／エンターブレイン〉)、「Splatoon」ほか。

2016年8月2日初版第1刷発行　　　　　　　　（検印廃止）
2017年4月29日　　　　第8刷発行

著　者　　　ひのでや参吉
　　　　　　Ⓒひのでや参吉　2016
　　　　　　Ⓒ2015 Nintendo

発行者　　　佐　上　靖　之

印刷所　　　三　晃　印　刷　株　式　会　社

「月刊コロコロコミック」'15年6月号、12月号
「別冊コロコロコミック」'16年4月号〜8月号掲載作品
連載担当／松本敬天
単行本編集／益江宏典　橋本裕香
　　　　　　鈴木利奈(アイプロダクション)

PRINTED IN JAPAN

発行所　（〒101-8001)東京都千代田区一ツ橋二の三の一　株式　小学館
　　　　TEL 販売03(5281)3556 編集03(3230)5995　会社

ISBN978-4-09-142215-6

Splatoon

1

THANK YOU!